Ainsi v

Max se fait insulter à la récré

Dominique de Saint Mars

Serge Bloch

Max se fait insulter à la récré

Avec la collaboration
de Renaud de Saint Mars

Série dirigée par Dominique de Saint Mars

Imprimé en Italie
ISBN : 978-2-88480-066-2

Et maintenant, on aborde la leçon sur les gallinacés.
Gallinacés
Cot, cot, cot, codette !

Qui a dit ça ?

Allez, Jérôme, avoue, ma poule !
TOC

Ce n'est personne ? Bon, vous serez TOUS punis ! Vous conjuguerez « *je ne fais pas de bruit quand la maîtresse explique* » au présent et au futur !

ET VIENT L'HEURE DE LA RÉCRÉ DU MATIN...
Alors, les poulettes !
Pauvre nul !
Il nous a fait punir !
On joue plus avec lui !
Moi je lui cause plus !
Et si on lui demandait de se dénoncer ?

Nous, on sait pas ! Mais toi, avec tes grandes oreilles, tu peux capter le satellite !

Et t'as vu comment tu t'habilles ? C'est pas un short que t'as, c'est une barboteuse !
Le ringard !
C'est celui qui le dit qui l'est !

Alors, t'as rétréci !
Aïe ! Je me vengerai

On joue à trap-trap bisous ?
Non, au loup !
Moi, je veux bien faire le loup !

Non, ça va, on n'a pas besoin de toi ! Juliette, je t'attrape !

Ne te fatigue pas. De toute façon, tu es un S.A. ! Un « Sans Amis » !
Et Juliette, elle t'aime pas, elle a pitié !
Mes cartes !

SORS SI T'ES UN HOMME !

WC

WC

Poule mouillée, cot, cot, cot !
Cot
Cot
Cot

Les voilà, tes cartes !
T'es tout petit...
T'es tout petit...
Tu grandiras
jamais !
Espèce de nain !
WC
DRIIIING !
Toi-même !

Ça suffit, Max !
Va te ranger !
Mais c'est lui !

« *Devoir de cochon !*
Applique-toi ! »

L'APRÈS-MIDI, LE CALVAIRE DE MAX CONTINUE...
T'as vu, il joue avec les C.P.. C'est vraiment un S.A. !
« Et toi, toi en face, t'as pas vu la tête que t'as, tu fais peur à Dracula, pif, peuf, tête de bœuf, va te faire cuire un œuf ! »
Tu t'es pas regardé !
Ah ! si la bibliothèque était ouverte... Ah ! si j'avais mon chien...
Zélé Zélé Benaka-zélé...

Tu joues, mon petit frère ?
Si tu veux Lili.

Il est trop nul, il joue avec les filles !

Oui, si on jouait au papa et à la maman ?
Et Max, tu fais le bébé ? D'accord ?
Ah, non, ça, pas question !

Oh, il est mignon, moi je le prendrais bien comme papa !
Il ne manquait plus que ça !

Et Jérôme qui drague Juliette. Je suis foutu. Elle ne me regarde même plus ! Je suis SEUL !

DENT DE LAIT... DUMBO ! SALE NAIN ! BOUFFON... HALEINE DE PHOQUE ! S.A. ! PAUVRE NUL... COCHON !
Arrête de rêver, Max ! La récré, c'est fini !

L'APRÈS-MIDI, À LA GYM...
Toujours en retard, Max, la limace ?
Bien fait pour toi !

Vous exagérez ! Pauvre Max !

Marie et moi, on te jette un sort, on va protéger Max des démons !
Juliette m'aime encore ?

* une balance, en argot, c'est un rapporteur !

Nous, on ne l'a pas balancé, et il s'est pas dénoncé !
Il avait peur que son père lui botte les fesses !
Aïe !!!
Nicolas et Bruno. Ils me prennent même mes copains !
Mais pourquoi t'embêtes Max !
Tu me donnes un baiser... si j'arrête ?
Pffuit, tu rêves !
Cette ordure la drague !

L'HORRIBLE JOURNÉE TOUCHE À SA FIN...
Maman ? Misère ! L'école l'a prévenue !
Maman, pourquoi tu es là ?
Je viens voir la maîtresse de Lili.
Ah !
Pipi... vite...
Tu sais qui est l'imbécile qui a lancé ça ?
Je sais pas... je le connais pas

Où est-ce qu'il a appris à conduire, ce crétin ?
Maman, t'as vu comment tu le traites !
Oui, pardon... Et toi, Max, ta journée s'est bien passée ? Tu n'avais pas une dictée, aujourd'hui ?
À la récré, tu sais...
Ne change pas de sujet, Max !

ET LE SOIR...
Je vais lui en coller une ! Ah, si je lui avais dis, au moins : « Crève, pourriture ! »
?!

Tu parles tout seul !
J'en ai marre, Nicolas m'a insulté toute la journée, avec Bruno. Tout le monde s'est moqué de moi !

Il est peut-être jaloux de toi !
De quoi, par exemple ?

Oui, c'est vrai qu'il n'y a pas de quoi !
Ah bon ?

T'es sûr que t'inventes pas un peu ? Un jour, j'ai cru que Clara avait dit du mal de moi et c'était pas vrai ! Souvent, on se fait des idées !
Non, je te jure, c'est vrai et je suis nul pour répondre !
Mais qu'est-ce que tu leur as fait aussi ?
Tu penses que c'est de ma faute, tu ne me crois pas, je ne te dis plus rien !
Mais non, excuse-moi, ne sois pas susceptible !
En plus, Nicolas, il essaie de monter tout le monde contre moi !

Pourtant, d'habitude, toi, tu n'as pas la langue dans ta poche !
Là, je suis cassé... Je crois qu'il a raison. Je suis un rien du tout, un « sans-amis » comme ils disent !
T'arrives même plus à te défendre ? Et tes copains ne te protègent pas ?
Ben... c'est que... on est fâchés, ils ne me parlent plus.
Mais pourquoi tu as envie de faire ta victime ? Tu t'enfonces encore plus. T'es pas nul ! Ne l'oublie pas, tu bats papa aux échecs !
Dur de s'aimer quand les autres vous aiment pas... !

Écris tous les mots méchants qu'il t'a dit. Tu lui rends ! Tu les prends pas, c'est tout !
C'est vrai, je ne suis pas obligé de le croire !
C'est un frustré, ce Nicolas ! S'il était si sûr de lui, il n'aurait pas besoin de se moquer ni d'insulter !
Mais c'est vrai que j'ai des grandes oreilles !
Mais, t'as peur d'un pauvre type ! Rien ne l'intéresse, il n'a que ça à faire, d'embêter les autres !
Me faire souffrir, oui, ça l'amuse on dirait !

Je comprends que tu pleures. Il s'attaque à toi parce que tu n'as plus ta bande, il se sent plus fort comme ça, facile !
Tu sais, Nicolas, il a aussi insulté maman ! Il a dit : hier, j'ai vu ta mère, c'est une chèvre en slip de guerre !
Oh ! Il va voir ! On va le dire à maman !
Non ! Déjà qu'ils me traitent de dégonflé et de poule mouillée !
Bah, « ta mère », c'est pour t'attaquer dans ce que tu aimes le plus !
Comme si on pouvait voir maman en culotte !
Si ça devient plus grave, on le dira aux parents !

Papa, tu es fier de moi ?
Bien sûr ! Pourquoi tu me demandes ça ?

Pour rien ! T'avais déjà des grandes oreilles quand t'étais petit ?
C'est une critique ?

Sois pas susceptible ! Et... c'est vrai que les garçons grandissent plus tard que les filles ?
Oui, tu as raison, mais grand ou petit, l'important c'est d'être bien dans sa peau !

Dors sur tes deux oreilles et, s'il recommence, viens me chercher !
J'ai de la chance d'avoir une grande sœur !

LE LENDEMAIN...
Et alors tu le regardes, tu te tiens bien droit et tu lui dis : « Elles te dérangent mes oreilles ? Moi, elles me plaisent ! Et toi, t'as vu tes yeux de rat ! »
Lili ! Arrête d'embêter Max !
Ou bien, tu lui dis : « Fils de père d'imbécile » !
Quoi ! On m'insulte.
Non, non ! On répète !

Max, tu pourrais t'excuser au moins pour la punition ! C'est quand même de ta faute !
Me VENGER plutôt !

À LA RÉCRÉ DU MATIN...
Nous, sorcières, donnons des pouvoirs magiques à Max !
Ah, si j'avais des pouvoirs magiques !

Allez, fais encore le kangourou ! Saute !
Oui, qu'on voie ta culotte !
Vanessa, t'es pas obligée de te laisser faire ! Ils se moquent de toi !

T'es un nabot !
Lui, plus tard, il sera grand ! Toi, tu seras toujours bête !

Ouah... ça, c'est envoyé ! T'es bon Max !

Max, y a un petit
qui pleure.

C'est Nicolas, il m'a dit, bouh,
que c'était bien fait si mon
grand-père était mort... bouh !
Il faut arrêter
ce massacreur !

Tu as eu raison de m'alerter,
Max. C'est grave. On en parle
au conseil*, d'accord ?

Il n'a pas le droit de te dire ça.
Il va être puni. On va te mettre
un pansement ! La blessure
va vite se refermer.

* conseil : réunion des enfants pour trouver des solutions aux problèmes de la classe.

L'APRÈS-MIDI, AU CONSEIL...
CONSEIL
ordre du jour
résolution d'un conflit
Fathia, tu es la présidente, c'est toi qui donne la parole !
Max, on t'écoute !
C'est Nicolas, qui n'arrête pas de me chercher, de me « traiter », de se moquer de moi !
Tu t'es senti agressé.
Oui, j'ai été humilié ! Je me suis senti nul et seul.
CONSEIL
re du jou

C'était pour rire !
Quand l'autre n'est pas d'accord, c'est méchant ! Moi, on m'a traité de sale chocolat noir* !

Moi, de grande asperge !
Moi, de Big Mama !
Et moi, on veut toujours que je sois le loup !
Bon, revenons à Max et Nicolas !

*Retrouve Koffi dans le livre « Max et Koffi sont copains », qui parle du racisme.

On ne se rendait pas compte que c'était si dur pour Max. On ne lui parlait plus...
Moi non plus je n'ai pas vu que Max souffrait autant.
C'est pas parce qu'on n'est pas d'accord avec quelqu'un qu'on doit laisser les autres le torturer !
Nous, on l'a défendu !

Mais, Max, t'oublies un truc quand même !
Je ne t'ai pas donné la parole, Jérémy ! À toi, Nicolas !

Ben, Max, il m'énerve, c'est un bouffon, il fait des blagues trop nulles, c'est un frimeur, il se prend pour le chouchou.
D'ailleurs tout le monde est d'accord avec moi !
C'est trop facile de se mettre à plusieurs contre un, on se sent plus fort en groupe !
C'était marrant au début, Nicolas, mais, là, t'exagères !
Oui, t'es lourd.
On ne doit pas traiter les autres comme ça. C'est du harcèlement. Vous le savez, les mots ont du pouvoir ! Ils peuvent détruire quelqu'un comme ils peuvent lui faire du bien !

Ben, il faut bien que je me défende ! Moi aussi je me fais insulter par mon frère !
Alors, tu « traites » les autres, parce que tu te fais « traiter » chez toi !
Souvent, quand on dit quelque chose sur l'autre, on parle de soi.
Oui... c'est celui qui le dit qui l'est !
Ça doit pas être drôle pour toi tous les jours !
C'est ça... maintenant, c'est lui la victime !

On reparlera de ton frère avec tes parents, si tu veux, Nicolas. Mais ici, tu n'es pas à la maison, tu as ta place à toi. Tu n'as pas le droit de faire ça.
Moi non plus, j'avais pas le droit de les faire punir !

C'est moi qui ai fait la poule. je voulais juste faire rire. J'ai été un peu lâche Alors, excusez-moi !
En tout cas, j'ai remarqué que les blessures des mots, ça mettait plus longtemps à guérir que les blessures de la peau !

Max et Nicolas, serrez-vous la main. Pour faire la paix, il faut se faire confiance. Alors, on vote contre la violence...
... pour trouver d'autres solutions quand on est malheureux.

Excuse-moi !
Nicolas, tu iras t'excuser auprès de Léo, au C.P..

T'as été bon dans ton discours !
Merci, mais c'est celui qui le dit qui l'est !
TAP

Tiens, toi aussi,
tu rentres par là ?

Entre nous, toi aussi,
t'as des grandes
oreilles !
Ah non, tu veux pas
encore te venger !

Non, non, c'était pour rire,
ma poule !

Et toi...

Est-ce qu'il t'est arrivé la même histoire qu'à Max ?

Se moque-t-on de ton nom ? ton physique ? tes habits ? ton travail ? tes parents ? Y a-t-il un peu de vrai ?

Es-tu « traité » par des enfants ? tes parents ? des professeurs Y-a-t-il des mots méchants que tu ne peux pas oublier ?

Tu crois ce qu'on te dit ? Ça te rend triste, agressif, muet ? T'imagines-tu en superhéros ? Veux-tu changer d'école ?

Est-ce plus facile pour toi d'en parler à tes copains, tes parents, tes profs ou d'autres adultes ?

T'écoutent-ils ? Ont-ils des solutions pour intervenir calmement si c'est grave ?

As-tu des trucs pour ne pas être une victime ? Te faire respecter ? répondre ? en rire ? As-tu des protecteurs ?

Est-ce pour t'amuser ? Pour te venger d'une injustice ?
Pour qu'ils te répondent, ou qu'ils se défendent ?

Parce que tu te sens exclu ? pas à la hauteur ? triste ?
Tu crois que l'on t'en veut ? Ça te fait du bien ?

Est-ce pour te sentir plus fort ? Imiter les autres ?
N'as-tu pas d'autres solutions que la violence ?

Insultes-tu plutôt des enfants ou des adultes ? Es-tu puni ? Chez toi, est-ce qu'on se moque facilement ?

Si ça les fait souffrir, te sens-tu coupable ? Penses-tu que c'est normal ? Qu'on t'a fait la même chose ?

Aimerais-tu qu'on te respecte plus à la maison et à l'école ? En étant choisi comme délégué, responsable de classe ?

Petits Trucs anti-insultes de Max et Lili

OUI !

- Ne reste pas isolé si tu te fais insulter. Parles-en, ça te donnera des idées pour te défendre ou pour t'en moquer.
- Préviens ta maîtresse et tes parents si tu es harcelé, menacé ou tapé.
- Entraîne-toi à répondre aux moqueries en disant « et alors ? », en souriant et en regardant dans les yeux ton adversaire.
- Si on te fait des critiques et si c'est un peu vrai, réfléchis-y pour voir si tu peux changer.
- Dis-toi que les gens méchants sont parfois des gens bêtes ou qui souffrent et que ce n'est pas de TA faute !
- Cherche une personne (adulte ou enfant) pour t'aider à rentrer dans le groupe, si tu t'en sens exclu.
- Si on se moque de tes habits, dis-toi que tu n'es pas un mouton obligé de suivre les « marques ». Reste toi-même !
- Pour garder confiance en toi, trouve des gens qui disent des choses gentilles sur toi ! N'oublie pas tes réussites !

NON !

- N'insulte pas les autres sans te demander pourquoi tu le fais, pourquoi tu as envie d'être violent.
- Ne force personne ni par la parole ni par les coups : tu n'as pas le droit, chacun a droit au respect et ça montre ta faiblesse !
- Ne dis pas que c'est pour rire sans mesurer la méchanceté de tes actes ou de tes paroles.
- Ne rapporte pas pour les petites choses.
- Ne fais pas aux autres ce que tu ne veux pas qu'on te fasse.
- Ne dis pas de mal des autres derrière leur dos. Essaie de dire ce que tu penses, en face, sans être blessant.
- Ne te laisse pas influencer par le groupe, si tu n'es pas d'accord au fond de toi.